Trait d'union

Alphabétisation

pour adultes

Lire et Écrire

Béatrice ANGER – Jean-Pierre FLOQUET
Professeurs d'alphabétisation
Cours municipaux d'adulte
Mairie de Paris

Jean GRIGORIEFF
Coordinateur pédagogique
en alphabétisation
Mairie de Paris

CLE
INTERNATIONAL

www.cle-inter.com

Chers Collègues,

Notre méthode *Alphabétisation pour adultes, Lire et Écrire* découle de notre expérience de formateurs aux cours municipaux d'adultes de la Ville de Paris.

La démarche est **100 % syllabique**, sans départ global, car nous pensons qu'ainsi l'apprenant **construit** peu à peu **un système cohérent de correspondance** entre **le son** et **la graphie**.

Nous avons souhaité éviter à l'utilisateur certains échecs décourageants face à l'écrit.
• Pour qu'il puisse immédiatement constater sa capacité à apprivoiser ce nouveau code et ainsi progresser en confiance, la présentation de l'ouvrage élimine toutes les difficultés parasites :
   – dès le début du manuel, l'apprenant peut **se repérer facilement grâce aux logos** de lecture et d'écriture et il n'est confronté à aucun texte de consigne ou d'explication qu'il ne puisse lire ;
   – **la notion étudiée** est clairement mise en évidence tout au long de la leçon par l'emploi de **lettres bleues**.
• Pour que les différences entre l'oral et l'écrit soient explicites,
   – **les lettres muettes sont imprimées en lettres creuses**, ce qui évite à l'apprenant de les prononcer ;
   – **les liaisons** sont indiquées quand elles sont obligatoires.
• Pour que la chose imprimée devienne familière, **des polices de caractères variées** et de tailles différentes permettent à l'apprenant d'acquérir sans effort la capacité à décoder la diversité de l'environnement écrit de sa vie quotidienne.
• Enfin pour habituer à faire du livre une référence, un recours dans l'acquisition de savoir, nous proposons **des pages de mots-clés** auxquelles l'apprenant pourra se reporter au moment d'écrire d'autres mots présentant la même variante orthographique.

Cette méthode se présente également comme **un fichier d'écriture** : nous avons pris le parti d'adopter l'usage majoritaire, associant les capitales d'imprimerie aux minuscules cursives.

A la fin de l'ouvrage un *guide du formateur* permet à celui-ci de construire des leçons de découverte et des leçons d'approfondissement avec batterie d'exercices pour l'étude de chaque son, selon un schéma type.

Vos suggestions seront les bienvenues à l'adresse jeangrigorieff @hotmail.fr

Les auteurs

Directrice éditoriale : Michèle Grandmangin - Vainseine
Coordination éditoriale : Dominique Colombani
Maquette de couverture : Christian Blangez
Illustrations : Évina Müller
Maquette et mise en pages : Nicole Sicre / Lo Yenne

ISBN : 978-2-09-035484-3

Sommaire

Graphismes

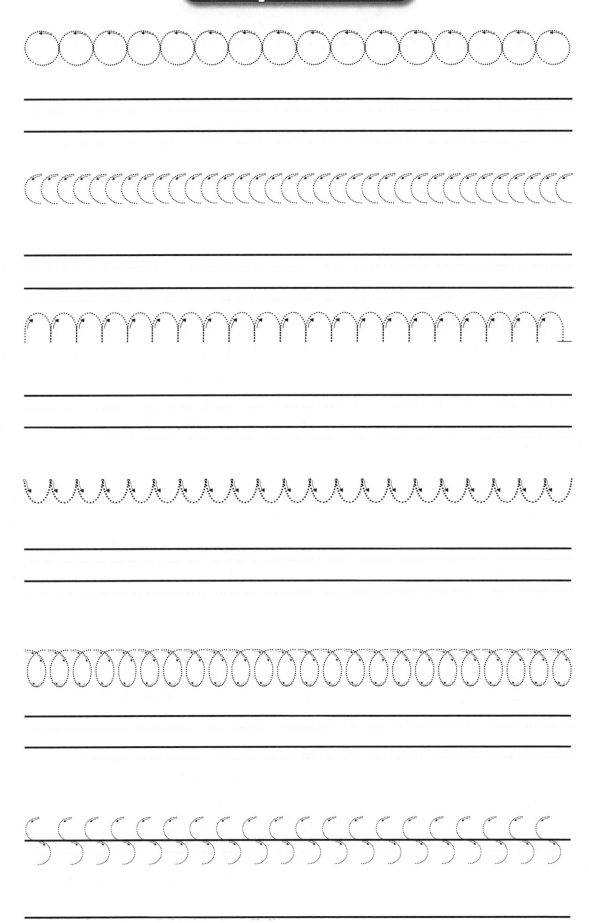

v v v v

↓V

o o o o

↗O

vo

$vé$

VÉLO

$le\ vélo$

$Éva$ $Léo$

ch   *i*   *u*

ch   **i**   **u**

CH   **I**   **U**

l'a = la

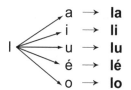
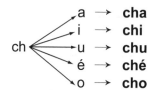

l
- a → **la**
- i → **li**
- u → **lu**
- é → **lé**
- o → **lo**

ch
- a → **cha**
- i → **chi**
- u → **chu**
- é → **ché**
- o → **cho**

chi   CHU   VI   vu   LE   ché   CHI   cho   LI
vi   *Vu*   *Le*   *le*   *che*   *va*   *li*   *lu*   *cha*   *il*   *lu*

la vache   le cheval   la ville   le châle   LILLE
LE CHILI   Élie   Achille   *Aïcha*   Olivia   *Ali*

Ali va à cheval.
Aïcha va à vélo.
Ali a vu Aïcha à vélo.
Aïcha a vu Ali à cheval.
Aïcha lâche le vélo.

Élie   *a*   *vu*   *Olivia*   *à*   *Lille*.

Élie *a lu le* .

Élie   **a**   **vu**   LILLE   **: il a lu "Lille".**

ch ch ch ch

CH

i i i i

I

u u u

U

$le\ cheval$

$la\ ville$

ALI A LU

ALI A VU

m - r - y

m   r   y

m   **r**   **y**

M   R   Y

l'a = la

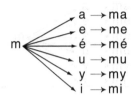 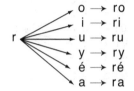

m → a → ma, e → me, é → mé, u → mu, y → my, i → mi

r → o → ro, i → ri, u → ru, y → ry, é → ré, a → ra

ma   ra   ri   mu   me   ro   ru   CHE   mi   cha   vu

ROM   **ORLY**   MIAMI   **R.E.R.**   Émil   Ilam

Émili   le Mali   rich   avril   lir   le livr

La larm   L'arm   **l'alarm**   le mur   **la mûr**

la march   le marché   il march   Rémi

Émil   a allumé la

Mari : la marié ,   Rémi : le mari.
Mari … ému ,   Rémi … ravi !
" Mari ma chéri …"

Ilam   arriv   à lir   Orly

RÉMI VA LI R   LE LIVR *"Alarm à Miami"*

y y y y

↓Y

m m m m

↓M

r r r r

↓R

RUE

ORLY

MALI

AVRIL

Mali

avril

mur

Rome

n   *s*

n   **s**

N   **S**

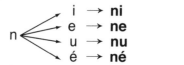 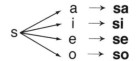

no SO *na* *sa* NU su si *ni* ne *se* *né* SÉ

numéro   machine   NAMUR   RIMINI   ARMÉNIE   Ilona   Éléna
Loana   Noémi   Simone   lisse   sur   os   ISLAM   OSLO
Salomé   Salim   Samara   RUSSIE   SYRIE   ULYSSE   Vannes
ASSISE   le NIL   la CHINE   une année   une vis

il va venir   il a suivi   salir

Simon   a lavé le sol.
René a sali le sol.
René a relavé le sol.

Samy a une amie, Nassima.
Samy salue Nassima.

Samia a vu le livre sur le sol.
Samia a ramassé le livre, l'a lu.
Le livre l'a charmée.

SIMON LAVE SA À LA MACHINE.

$\mathcal{N}$ n n n

↓N

$\mathcal{S}$ s s s

'S

ss

nn

$\mathcal{N}$assima

$\mathcal{A}$nna

machine

une année

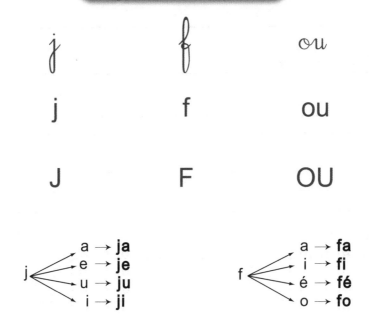

fa _fou_ **fu** che **ju ja** _jou_ **FI** je _rou_ **ru** se

Le _fou_   **la foul**   _il jou_   _la jou_   le ju   **OUI**

la fich   **l'affich**   _le chiffr_   _le jour_   _la journé_

la fil   _le fil_   _il fil_   je lou   **LE FOUR**   _le journal_

Je sui   assi … Il y a foul … je me sui   levé !

Salif se mari   : il a loué une joli   VOLVO.

JULI   A RÉUSSI À FINIR LE LIVRE.

– Raoul, va ouvrir !
– _Oui, oui j'ouvre…_
– Raoul, tu y va   ? Lâch   le journal, va ouvrir !

– Allo, Moussa ? Nou   somme   arrivé , nou   somme   à Orly.

f f f f

↓F

j j j j

↓J

ou   OU

joue   fou

le four

un journal

une journée

t   è   ê

t   è   ê

T   È   Ê

è = ê = es = est

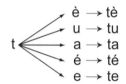

to ta tu **TOU** tes te té ti to ta

tir   tu es tour il est têt **FÊT**

chèr mèr **mêm** CHÈVR chut **TATI**

Tony a allumé la télé.

Il a vu le match final. Il est ravi.

– Fatou, tu as vu Tony ?
– Tony ? Il est sorti.
– Sorti ? Tu es sûre ?
– Si, si, je suis sûre. Il est parti sur sa moto.

t
_t_ _t_ _t_

↓→T

`è è è`

E

es

tu es

est

il est

tour

match

sortir

minute

Il s'est levé tôt

c   d   un

c   **d**   **un**

C   **D**   **UN**

| et = é |
| l'é = lé |

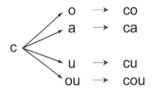

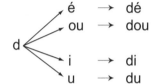

ca   CO   cu   **cou**   da   DO   **dou**   dé   *de*   di

le col   la coll   l'écol   samedi   CASS ROL

midi et demi   **Coca-Cola**   du   cacao   et   du café

Lundi   chacun   la dat   le marché commun

Il y a du coca, du café, du chocolat. Il y a même du jus d'anana et du jus de tomat.

Il a mal dormi la nui, il est malad, il a acheté un remèd, il l'a avalé et il a dormi tout la journé.

Le lundi Omar va à l'école, il a un sac à dos, un livre et un stylo. Il étudi l'écritur et le calcul et il li le livre de class :

"LES MILL ET UNE NUI".

C _c_ _c_ _c_

c

d _d_ _d_ _d_

D

un   UN

une   UNE

et   ET

Il a dormi.

Il a couru vite.

l

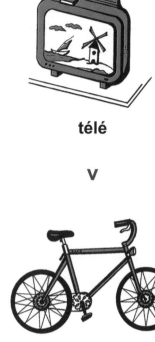

télé

a

ananas

e

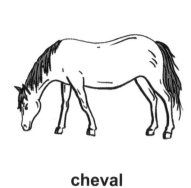

cheval

v

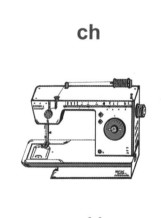

vélo

é

café

o

chocolat

ch

machine

i

lit

u

lune

m

moto

r

radio

y

stylo

n

âne

s

sac

j

journal

f

four

ou

souris

t

tortue

ê è

tête

c

coca

d

dé

un

1

b   p

b   p

B   P

ba   bo   bu   bou   bé   bi   pa   pé   pi   pu   pou

BARBÈS   Barbara   le   public   une   banan

la   port   la poste   **bébé**   pépé   Bob

la   bouch   la   boul   la   poul   une   rob

PARI   BOUCH RI   BIJOUT RI   PÂTISS RI

Le   pèr   de   Bruno   est   barbu : il   a   une   barb
et   une   moustach .

Barbara a acheté à Pari un bijou et un parfum.

La   mèr   de   Sabrina
a   apporté   un   peti   cha
trouvé   à   Barbès.
Aïcha   l'a   appelé   Moun .
Il   est   adorable.

L'arrê   du   bus   est   prè   de   la   BNP.

b _b_ _b_ _b_

↓B

p _p_ _p_ _p_

↓P

le bus

la pluie

la table

l'arbre

le sable

un sport

une parabole

Il est parti

Il parl turc.

_____ ne _____ pas _____.

Il ne parl pas turc.

Il a mal.

_ n' _ pas_____.

n'a = na

Il n'a pas mal.

Il est marié.

_ n' _ pas_____.

n'est = nè

Il n'est pas marié.

Louis n'est pa sportif,
il ne va pa courir.
Pablo, lui, est sportif :
il va courir.

Paloma ne support pas le café.

Béa lui prépar du chocolat.

Il n'est pas poli,

il est mal élevé.

Il ne parle pas,

il est fâché.

g   oi

g   oi | oi = (oa) |

G   OI

ga   **GO**   gu   **gou**   goi

ÉTOILE il garde la gare le goût *le poivre*

grosse gro gris agréable gratuit gratuite la grippe

un programme UNE GOUTTE gâché un légume *la moitié*

le couloir Chinoi **Béninoi** Suédoi Danoi

BLOIS-GAP, GROSSE PARTI
SCORE FINAL : TROIS - UN.

Garmia a une carte de séjour valable trois moi.

Grégoire a pri une grappe de **noir ;**

il la goûte : la grappe n'est pa sucré .

Dégoûté, il a pri une poire.

Il s'est mal garé, il a un PV *(pévé)*
sur la vitre de sa voiture.

Tu y va, toi, à la soiré ?
Moi, pa du tou.

g *g* *g* *g*

G

oi oi   OI

loi   *Grégoire*

moi   *froid*

gratuit

la voiture

trois mois

GARE DU NORD

le vélo   les vélos
un vélo   des vélos

la voiture   les voitures
une voiture   des voitures

les vélos   mes vélos
les voitures   mes voitures

les vélos   tes vélos
les voitures   tes voitures

les vélos   ses vélos
les voitures   ses voitures

Nicolas dit à Julie :

   -Chérie, tu as vu mes clés ?

Julie dit à Nicolas :

   -Les clés ? Les clés de la voiture ?

   Oui, sur la table du séjour.

   Tu as pris la liste
des courses ?

   N'oublie pas
les couches et les mouchoirs
pour les petits.

j'a = ja

   -Oui, oui, j'achète tout,
dit Nicolas.

les   .   .   .   LES   .   .

des   .   .   .   DES   .   .

mes   .   .   MES   .   .

tes   .   .   .   TES   .   .

ses   .   .   .   SES   .   .

les légumes du marché

.

mes coordonnées

.

Rémi roule à vélo : il roule à vélo.

Rémi et Mari   roulent à vélo : ils roulent à vélo

$$\underset{il}{\underline{\text{Rémi}}}$$

$$\underset{ils}{\underline{\text{Rémi et Mari}}}$$

d'a = da

Mari lave les vitre,

Rémi lave les portière,

Ils lave   la voiture.

Mari boi du ju de pomme,

Rémi boi du ju d'anana,

Ils boive   des ju de frui.

Mari prépare une soupe,

Rémi prépare une salade de frui,

Ils prépare   le repa.

il parle ils parlent

il boit ils boivent

il dort ils dorment

il part ils partent

Rémi et Marie lavent la voiture.

bl - br - pl - pr

ℓl - bl - BL

Un problème de câble.

Tous à table !

La farine de blé dur.

Le bac à sable du parc public.

Un match minable.

Un cartable trop lourd.

br - br - BR

Sabrina donne le bras à Bruno.

Le mois d'octobre à Brive.

Pas de bruit, Bruno !

L'abricot est mûr.

Des brûlures d'estomac.

Le samedi je bricole.

table

arbre

pl - pl - PL

Le canard lisse ses plumes.

La pluie est finie, il plie le parapluie.

Un plat relevé.

Léa est plus souple, Léo plus lourd.

pr - pr - PR

La météo prévoit la pluie.

Le sol est propre.

Regarde le placard près du couloir.

Il est prêt pour la promenade.

pluie

propre

cl - cr - gl - gr

ℓ - cl - CL

Il a pris les clés de la voiture.

La cloche sonne.

Il a acheté un canapé clic-clac.

À plus tard, PORTE DE CLICHY !

cr - cr - CR

Il a écrit une carte à sa mère.

Il a pris une crêpe sucrée.

Il a noué sa cravate.

Il achète à crédit.

clé   .   .

éclat   .

sucre   .

écrire   .

gl - gl - GL

Une règle de vie.

Il a réglé la télé.

La planète est un globe.

gr - gr - GR

Une soirée agréable.

Grégoire est grippé.

Le programme est gratuit.

règle   .

globe   .

grève   .

grippe .

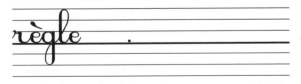

fl - fr - vl - vr

fl - fl - FL

Il souffle la flamme.

Il marche et il siffle.

Il parle et ne réfléchit pas.

fr - fr - FR

Les chiffres arabes.

Mes frères adorent les frites.

Sors les fruits et légumes du frigo !

Il souffre du froid.

 *souffle* .

frites .

vl - vl - VL

L'ami de Vladimir est arrivé.

vr - vr - VR

Ajoute du poivre !

À suivre.

Le savoir-vivre.

Va ouvrir la porte !

Avoir les lèvres sèches.

Un livre sur le Louvre.

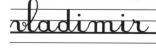 *vladimir* .

avril .

dl - dr - tl - tr

dl - dl - DL

Y'a d'la joie, partout y a d'la joie !

dr - dr - DR

Perdre ses droits.

Un drôle de drame.

Un coup de foudre !

dl dl   .   .   .

droit   .

tl - tl - TL

Les cartes de l'atlas.

tr - tr - TR

Marche sur le trottoir !

Votre truc ne marche pas.

Un titre de séjour.

Frédéric doit être très triste.

Notre vitre est cassée.

À mardi, métro CRIMÉE !

atlas   .

être   .

Il a pris le métro à Porte de Clichy.

b

banane

p

Paris

9

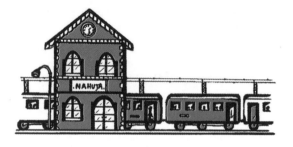

gare

oi

voiture

bl

table

br

arbre

pl

parapluie

pr

prof

cl

clé

cr

cravate

fl

moufles

fr

coffre

dr

cadre

tr

fenêtre

vr

livre

gr

grue

-er - l'u

er
er
ER

(èr)

Ver verte   le verre   le Berbère

la couverture   la personne   le permi

le costume berbère   OUVER - FERMÉ

LIBERTÉ   le couvercle   il verse   il traverse   mercredi

LE FER   la terre   une terrasse   la mer Méditerrané   une perle

il per   ils perde   le persil   LA SERBI   Alber   il ser

ROBER S'EST VERSÉ UN VERRE DE BIÈRE.

Pierre a passé le permi mercredi.

Ma mère a préparé un repa berbère
pour toute les personne de la crèche.

$$\boxed{\text{l'u = lu}}$$

La Terre tourne, toutes les planètes tourne, tout
l'univers tourne.

Bernar a ouver la fenêtre : il regarde le por , pui
observe les navire perdu là-ba sur la mer.

Il écri , il serre le stylo, il cherche les mo et il per ses idé .

er

ER

mer

mère

cher

chère

vert

verte

Il est pressé.

Fermé le lundi.

Ouvert samedi après-midi.

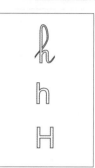

ha = a	habitude
hé = é	hélicoptère
hi = i	hiver
ho = o	homme
hu = u	huile

l'ha = la	l'habitude
l'hé = lé	l'hélicoptère
l'hi = li	l'hiver
l'ho = lo	l'homme
l'hu = lu	l'huile

Arthur habite à Paris, boulevard de l'hôpital.

L'hiver est arrivé, Thierry a attrapé un rhume.

ef = (èf)   Le chef m'a dit : "Un effort ! Un effort ! " ... Et lui ?

el – ël = (èl)   Joël et Michel habitent, depuis Noël, à l'hôtel, près de la Porte de la Chapelle.

Il a une amie, elle s'appelle Armelle.

ec = (èc)   Elle achète des nectarines trop chères.

Il est allé à la préfecture et il a renouvelé le permis de séjour.

es = (ès)   À l'est de Paris il y a l'hôpital *Robert Debré*.

La Gare de l'Est est près de la Gare du Nord.
        (est)   (è)

Ne te blesse pas avec le verre ébréché.

ette = (èt)   Jette les ordures à la poubelle !

Il a mis la table : la nappe, les assiettes, les verres, les couverts et les serviettes.

enne = (èn)   Marielle habite rue de Rennes avec Étienne.

SÉJOUR À VIENNE – HÔTEL DE LA PRESSE

h kkk . . . .

H . . . .

rhume .

Hôtel

l' hiver .

Hôpital

du thé .

Halles

de l'huile d'olive

.

Je m'appelle Michel.

.

an - am - en - em

an	am	en	em
an	am	en	em
AN	AM	EN	EM

l' = l   d' = d

Gran grande la manche la tranche la branche **LE MARCHAN**
les gan blan blanche la chambre une lampe l'enfan
les paren le bâtimen transparen LE TEM souven le ven
l'entré le membre **SEPTEMBRE** NOVEMBRE il semble en pente

André atten devan le métro Gambetta.

Il atten Clémen.

Clémen est en retar.

Il a trente minute de retar.

André n'a plu le temp d'attendre.

Il pense : « Tan pi , je par ! »

Alor , il enten : « André ! André, atten s ! »

Clémen arrive en couran.

Il se dépêche, il ne regarde pa devan lui.

Le bus arrive.

Clémen traverse rapidemen.

Ouf !

Il est passé à temp.

an

am

en

em

AN

AM

EN

EM

Jean est souvent en retard.

Grand appartement à vendre.

A	O	U	OU	OI
ka	ko	ku	kou	
ka	ko	ku	kou	
KA	KO	KU	KOU	
qua				quoi
qua				quoi
QUA				QUOI

DAKAR est la capitale du Sénégal.

BAMAKO est la capitale du Mali.

Kaboul est la capitale de l'Afghanistan.

Katmandou est la capitale du Népal.

Irkoutsk, Novosibirsk, Vladivostok se trouvent en Sibérie.

IL Y A QUARANTE ANS L'HOMME EST ALLÉ SUR LA LUNE.
(tan)   (ta)

– Tu regardes quoi ?
– Un film : « LES QUATRE JOURNÉES DE NAPLES ».

– Pourquoi tu ne parles pas ? Tu es fâché ?
– Pas du tout, je ne suis pas fâché !
J'écoute à la radio le match
de la quatrième journée du championnat.

AN ↓	I ↓	É ↓	E ↓
kan	*ki*	*ké*	*ke*
kan	ki	ké	ke
KAN	KI	KÉ	KE
quan	*qui*	*qué*	*que*
quan	qui	qué	que
QUAN	QUI	QUÉ	QUE

LE COLONEL PORTE L'UNIFORME ET UN KÉPI SUR LA TÊTE.

KAMPALA EST LA CAPITALE DE L'OUGANDA.

Islamabad est la capitale du Pakistan.

Samarcande ou SAMARKAND n'est pas une capitale :
elle est pourtant très grande et très belle.

Marrakech est une ville du Maroc en Afrique du Nord.

Les Kurdes habitent en Turquie, en Iran, en Irak et en Syrie.

Quatre États d'Amérique du Nord :
l'Alaska, le Dakota, le Nébraska, l'Oklahoma.

Québec est une ville du Canada. Le Canada se trouve en Amérique du Nord.

– L'île de la Martinique est grande ?
– La Martinique s'étend sur plus de mille kilomètres carrés.

– Le pack d'Évian est lourd ?
– Oui, chaque litre d'Évian a un poids égal à un kilogramme.

a → **c**a

le **c**afé
CARREFOUR
la casserole
une carte
la capitale
le placard
un avoca(t)
camarade

o → **c**o

le **c**ol
la **c**olle
l'école
L'ALCOOL
communiste
la **c**ôte
le **c**ostume
la **c**olère

u → **c**u

le **c**al**c**ul
Le **c**uir

ou → **c**ou

le **c**ou
Il m'a donné
un coup
le **c**oude
la **c**ouverture
la couture
le couloir
les courses
les **c**ouche(s)

oi → **c**oi

la **c**oiffure

qua

quatre
quatrième
la qualité
quarante

quoi

Tu regarde
quoi ?

Pourquoi ?

ka

DA**KAR**
KABOUL
SRI-LANKA
le **k**araté

ko

BAMAKO
KODAK

ku

KURDISTAN

```
CA  =  QUA  =  KA
CO  =          KO
CU  =          KU
COU
COI  =  QUOI
```

_k k k ._

↓K

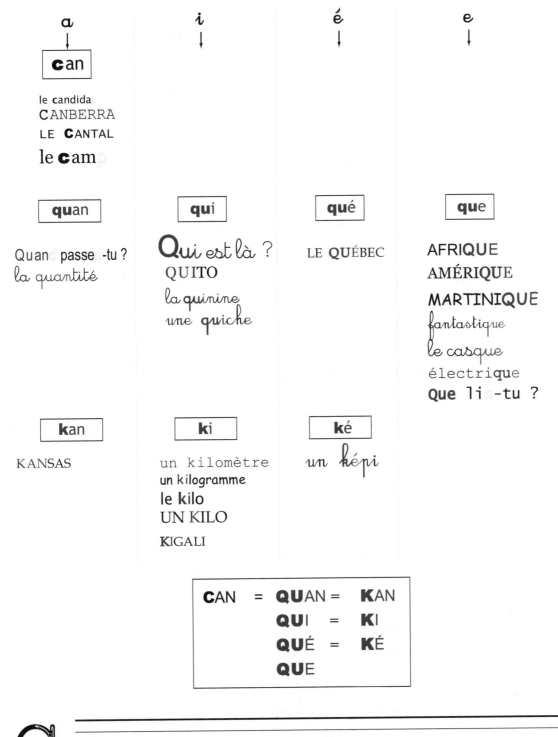

a	i	é	e

can

le candida
CANBERRA
LE **C**ANTAL
le **c**am

quan	**qu**i	**qu**é	**qu**e

Quand passes-tu ?
la quantité

Qui est là ?
QUITO
la quinine
une quiche

LE QUÉBEC

AFRIQUE
AMÉRIQUE
MARTINIQUE
fantastique
le casque
électrique
Que lis-tu ?

kan	**k**i	**k**é

KANSAS

un kilomètre
un kilogramme
le kilo
UN KILO
KIGALI

un képi

CAN =	**QU**AN =	**K**AN
	QUI =	**K**I
	QUÉ =	**K**É
	QUE	

q q q q

ʻQ

on   *om*

on   **om**

ON   **OM**

mon ton son   le son   BONDY   LONDRES   MÂCON   MONTPARNASSE

MONTMARTRE   CANTON   un canton suisse   la chanson

le champion   l'avion   un pantalon   un carton   la montre   le monde

le savon   le poisson   le thon   le menton   répondre   bon bonne

les bonbons   le concombre   le nombre   une tombe   sombre l'ombre

Quel est votre nom ?   Quel est votre prénom ?

Quelle est votre adresse ?   Quelle est votre profession ?

Mon oncle a habité longtemps à Ménilmontant avec ma tante.
(lon) (tan)   *(mon) (tan)*

— Bonjour mon grand !
   Que nous sommes contents de te voir.
   Quand es-tu arrivé ?
— Il y a quarante minutes, gare de Lyon.
   On a pris du retard à Mâcon.

L'AVION PROVENANT DE CLERMONT-FERRAND A UN RETARD DE QUARANTE MINUTES.

EN ROUTE POUR LYON, CAMIONS BLOQUÉS À MÂCON

on

ON

om

OM

mon

ton

son

content

Bonjour patron !

mon nom et mon prénom

Ma profession

longtemps

- er

fer

- el

hôtel

- es -

veste

- ec

bec

- ette

fourchette

h

hôpital

am

lampe

en

dent

k

anorak

q

coq

qu

quatre

on

avion

o → **s**o	oi → **s**oi	on → **s**on	u → **s**u	a → **s**a

solide	soi	son	super	**savoir**
Soliman	la soie	le son	subir	le sari
il sort	la soirée	la sonde	le sucre	le savon
une sorte	la soif	nous poussons	SUÈDE	la savonnette
la sonnette	assoiffé	nous dansons	Suisse	le sac
sonore			la suite	la salière
il sonne			suivre	le salon
la solitude			SUD	le satellite
le soja			Sultan	les sardines
SORTIE			il supporte	salé
			il supprime	sale
			sur	la salle
			surpris	SALUT !

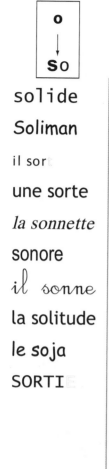

Ç = S

çoi	çon	çu	ça
il déçoit	un glaçon	le reçu	la façade
il reçoit	un garçon	il est déçu	ça
François	nous traçons		
	nous perçons		
	Commençons !		

Ç ç ç ç . . . . . .

Ç . . . .

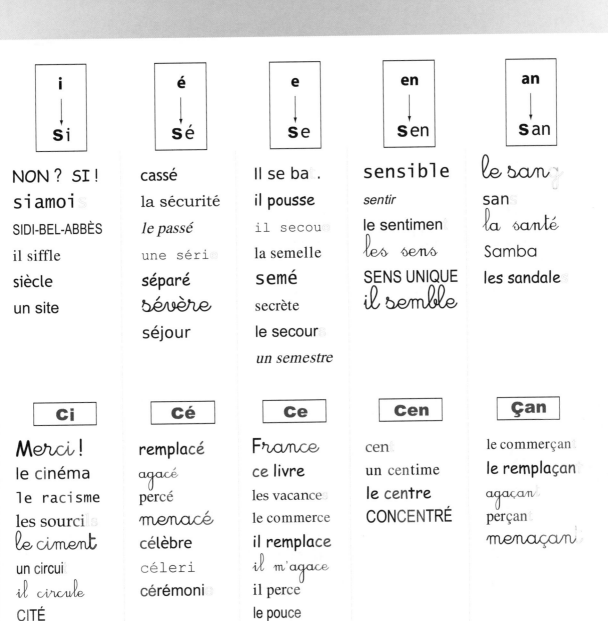

i → **S**i	é → **S**é	e → **S**e	en → **S**en	an → **S**an
NON ? SI !	cassé	Il se ba .	sensible	le sang
siamoi**s**	la sécurité	il **pousse**	*sentir*	san**s**
SIDI-BEL-ABBÈS	*le passé*	il secou**s**	le sentimen**t**	la santé
il siffle	une séri**e**	la semelle	les sens	Samba
siècle	**séparé**	**semé**	SENS UNIQUE	les sandale**s**
un site	**sévère**	secrète	il semble	
	séjour	le secour**s**		
		un semestre		

Ci	**Cé**	**Ce**	**Cen**	**çan**
Merci !	**remplacé**	France	cen**t**	le commerçan**t**
le cinéma	*agacé*	ce livre	un centime	**le remplaçan**t
le racisme	percé	les vacance**s**	**le centre**	*agaçan*t
les sourci**ls**	*menacé*	le commerce	CONCENTRÉ	perçan**t**
le ciment	célèbre	**il remplace**		*menaçan*t
un circui**t**	*céleri*	*il m'agace*		
il circule	cérémoni**e**	il perce		
CITÉ		le pouce		
un citron		la place		

e	en		a	an
se	sen		**sa**	san
ce	cen		**ça**	çan

Garçon, un citron pressé !

– Qui a pris mes lunettes ?

– Personne, cherche-les !

– C'est sûrement quelqu'un :
mes lunettes ont disparu !

– Tu perds toujours tout !
Cherche encore.

– Où est-ce qu'elles sont passées ?
Tu ne les vois pas, toi ?

– Qu'est-ce que tu dis ?

– Mes lunettes, tu les vois quelque part ?

– Quoi ? Encore tes lunettes ?
Écoute : hier soir, on a vu un film.
Tu l'as regardé avec tes lunettes.
Qu'est-ce que tu as …

– Ça y est, je me rappelle :
elles sont à côté de la télé, j'en suis sûr.

Ah, non…

Si, elles sont tombées par terre.

Quelle chance ! Elles ne sont pas cassées.

Lire et écrire,

ce n'est pas facile.

C'est même très difficile.

Pourquoi toutes ces lettres
(sé)

qui se ressemblent ?

Et ces lettres
(sé)
qu'on n'entend même pas ?

Et ces mots
(sé)

qui n'en finissent pas ?

Si longs, si longs,

qu'on a oublié le début !

Et apprendre,

ça en prend du temps.

Chaque jour,

je recommence

à lire et à écrire.

Et j'avance, j'avance...

J'avance ?

Z

zéro   une **z**one

en zigzag   **onz**e

le gaz   quatorze

le mazout   les douze **moi**s de l'année

FEZ (èz) SUEZ (èz) Izmir la Corrèze Zagreb *Mermoz* Zara

Zohra a dégusté des cornes de gazelle avec Suzanne.

Zanzibar est une île appartenant à la Tanzanie.
La Tanzanie a des frontières en commun
avec le Mozambique et la Zambie.

Le Vénézuela et le Bélize sont en Amérique ;
l'Azerbaïdjan, le Kazakhstan, le Kirghizistan, l'Ouzbékistan
et la Nouvelle Zélande ne sont pas en Amérique.

Zoé habite rue Émile-Zola, près d'un bazar très bizarre.

z z z z

Z

zéro   le gaz

s de « rose »

la Tunisie

le Brésil

Brasilia

Venise

Toulouse

Besançon

$$a\ e\ i\ o\ u \quad s=(z) \quad a\ e\ i\ o\ u$$

l'Asie

la Papouasie

rue d'Alésia

Mulhouse

l'Isère

la Moselle

les Champs-Élysées
(zé) (izé)

les ÉTATS-UNIS
(zé) (zu)

un Suédois	une Suédoise
un Béninois	une Béninoise
un Chinois	une Chinoise
un Québécois	une Québécoise
un Crétois	une Crétoise
un Niçois	une Niçoise
François	Françoise

rusé   une rose   le rasoir   la cerise   la prise   Lise   la musique

la cuisine   la cuisinière à gaz   la cousine   la surprise

la télévision   la mise en place   un vélo d'occasion   une voisine

Mademoiselle Denise a une jolie chemisette turquoise.

Pour les vacances, Maryse et José hésitent :
Venise ? La Tunisie ? Le Brésil ?
En attendant ils économisent...
(z)

César et Rosalie visitent Paris avec des amis et s'amusent.
(z)

la valise grise .

ss de « adresse »

a e i o u	s = (z)	a e i o u

a e i o u	ss = (s)	a e i o u

la case	la casse
un poison	un poisson
il vise	il visse
le désert	le dessert
une base	une basse
la crise	ça crisse
elle épouse	elle pousse
l'Asi	Lassi
la ruse	le russe

ils on (z)	il Son (s)
nous avon (z)	nou Savon (s)

Ils on trois enfan et il Son trè conten de les avoir.
(z)   (z)   (s)   (z)

Nassima a reçu sa première lettre à sa nouvelle adresse :

MADEMOISELLE NASSIMA NASRI

18 RUE DE LA MOSELLE

68100 MULHOUSE

La cuisine est en désordre.
Louise et sa cousine on reçu des amie :
Selma qui est brésilienne et Assia (z) qui est tunisienne.
Le repa a été trè réussi.
Elles ont mi de la musique
pui elle (z) sont allé voir les Champs-Élysé (z).
Il reste, dan la cuisine, des pile d'assiette ,
de tasse , de pla et de casserole .

Lassana a trouvé un emploi à la brasseri "Le Vésuve" :
en cuisine, c'est lui qui s'occupe des desser .
Il me des par de tarte sur les assiette
et il rempli les coupe (z) avec de la salade de frui ,
de la mousse ou des boule de glace.
Les glace , il y en a pour tou les goû :
noisette, chocola , framboise, pistache, cerise...
Avec délicatesse, Lassana essuie le bor de chaque coupe,
pa une trace de doi , pa une goutte de chocola .

mon adresse

X

x

X

(k s)

exprè *(èks)*

expliqué

excuse

un taxi

Maxime

Roxane

le luxe

un café expresso

le Mexique

Alexandre

Alexi

Félix

(s)

6	10	60	70
six	dix	soixante	soixant_-dix

(gz)

exa ct *(ègz)*

exercice

exemple

examiné

il existe

l'hexagone

(z)

6° sixième

10° dixième

six an s
(z)

dix enfan ts
(z)

X

le pri   *(pri)*

la croi   *(croi)*

une noi   *(noi)*

la voi   *(voi)*

la tou   *(tou)*

dou   *(dou)*

rou   *(rou)*

jalou

si moi

di livre

Félix et Alexandre ont soixante ans.
(ks)   (ks)   (s)

Ils sont d'excellents amis.
(ks)   (z)

Ils se sont rencontrés il y a exactement dix ans.
(gz)   (z)

Explique - lui que le prix est excessif.
(ks)   (èk sè)

Ce n'est quand même pas une voiture de luxe,
(ks)

sa voiture d'occasion.

On a expédié le colis il y a six jours,
(ks)

en recommandé.

Et il n'est toujours pas arrivé à Dax.
(ks)

C'est un scandale !

Maxime ne s'est même pas excusé de son retard
(ks)   (èks ku)

de plus de soixante minutes !
(s)

Son patron est extrêmement mécontent.
(ks)

x x x

X

au - eau

au (o fermé)	au (o) (o ouvert)	eau (o fermé)
l'automobile	le restauran	l'eau
l'autobus		
l'autoroute	Laure	la peau
l'autocollan		
la sauce		le château
la chaussure		le gâteau
une chaussette		
la pause-café		un bateau
la faute		
l'épaule		le plateau
le défau		
		le marteau
automatique		
augmenté		le manteau
autre		
hau / haute		le chapeau
jaune		
pauvre		le rideau
gauche		
chauve		un cadeau
audiovisuel		
		le tableau
aujourd'hui		
		un morceau
Paule	Paul	
Pauline		le bureau
Claude / Claudine		
Gauloi / Gauloise		l'oiseau
La Baule		
		beau
AÉROPOR CHARLE - DE - GAULLE		nouveau

aujourd'hui   .

au restaurant   .

Aujourd'hui, Maurice a posé de nouveaux carreaux dans la salle d'eau.

Aurore est une beauté.

Arnaud, son mari, lui a offert en cadeau des boucles en or, avec de petites émeraudes.
(z)

Le pauvre Claude est chauve.

Cela le désole : il ne se trouve pas beau.

Il rêve d'un produit nouveau.

À défaut, il achète un autre chapeau. Il ira avec au bureau.

Mauricette adore les chaussures. C'est sa folie.

Elle en a déjà beaucoup.

Hier, elle a vu de superbes chaussures mauves, très chic.

Le talon est trop haut ? C'est plus élégant.
(z)

Elles sont étroites ? C'est à la mode.

Mauricette les regarde dans la vitrine : ces chaussures n'ont aucun défaut.

Le prix ? Tout a augmenté, le prix des chaussures aussi.

Mauricette n'hésite pas plus longtemps.

Ces chaussures sont pour elle, il les lui faut.

Il va au bureau en métro.

ce

glace

ci

cinéma

çon

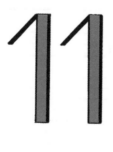

glaçon

z

11

onze

voyelle - s - voyelle

valise

ss

casserole

x

taxi

au

chaussettes

eau

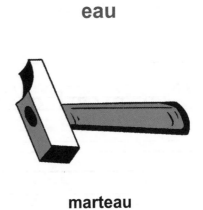

marteau

er - ed - ez

(é)

er	ez	ed

Votre méti er :
boucher
cuisinier
pâtissier
postier
plombier
plâtrier
pompier
policier
fer mier
(èr)   (é)

l'écolier
le papier
les ca ier
les soulier

ASS EZ !

il en a assez

le nez

chez moi

le rez-de-chaussé

vous marchez

vous dansez

vous parlez

vous chantez

le pied

elle a mal au pied

il va à pied

les pied de la table

assied -toi
on s'assied

le dîner   le sucrier   le saladier   l'évier

le courrier   le palier   l'escalier   le quartier

Les arbre fruitier :

le pommier produi la pomme et le poirier la poire,
le pêcher donne la pêche et le prunier la prune,
la banane est le frui du bananier et le citron est le frui
du citronnier, l'abricotier produi l'abrico (un abrico),
l'olivier produi l'olive (une olive).

Comment allez - vous ?

–Bonjour, vous désirez ?
–Un café. Et donnez-moi aussi un croissant.

Chez le dentiste :
– Avez-vous pris rendez-vous ?
  Vous êtes déjà venu ?
       (z)
  Vous avez un dossier chez nous ?
       (z)

– Pardon, vous êtes du quartier ?
            (z)
  Je cherche la rue du Rocher.
– Vous prenez la troisième à droite,
  vous dépassez une école puis une banque
  et, quand vous arrivez à un carrefour,
            (z)

  vous tournez à gauche.
  C'est là, c'est la rue du Rocher.
  Vous ne pouvez pas vous tromper.
– Merci !

–Pour aller à la gare, vous devez traverser le pont
  et tourner immédiatement à droite.
  Vous continuez tout droit.
  À pied, c'est assez long.
  Quand vous aurez dépassé le café "l'Arrivée"
            (z)

  vous verrez sur la droite l'entrée de la gare.

Merci de compléter votre dossier.

in - im

in	im
in	im
IN	IM

juste
possible
correct
supportable
pruden

injuste
impossible
incorrect
insupportable
impruden

intervenir	*la dinde*	le cousin
l'intérêt	*la pince*	un voisin
l'incendie	*le pinceau*	le magasin
un invité	*un prince*	un médecin
une impasse	*un timbre*	le chemin
l'imperméable	*le syndicat*	un dessin
important	*le printemps*	le vin
	sympathique	un jardin
		lundi matin
		le mois de juin
	QUIMPER	PROVINS
Inde		Le Bénin
Indonésie		

Métro INVALIDES	*Métro PORTE-DE-VINCENNES*	Métro CHAUSSÉE-D'ANTIN
	Métro SIMPLON	Métro PORTE-DE-PANTIN
		Métro HAVRE-CAUMARTIN
		Métro JULES-JOFFRIN

in	+	**a**	→	ina	**ina**dmissible
in	+	**e**	→	ine	**ine**spéré
in	+	**é**	→	iné	**iné**gal
in	+	**i**	→	ini	**ini**mitable
in	+	**o**	→	ino	**ino**dore
in	+	**au**	→	inau	**inau**dible
in	+	**u**	→	inu	**inu**tile
in	+	**ou**	→	inou	**inou**bliable
in	+	**h a**	→	ina	**in h a**bitable

5	cinq	cinq an (k)
15	quinze	quinze an
20	vingt	vingt an
25	vingt-cinq (t) (k)	vingt-cinq an (t) (k)
50	cinquante	cinquante an
75	soixante-quinze	soixante-quinze an
80	quatre-vingts	quatre-vingts an (z)
85	quatre-vingt-cinq	quatre-vingt-cinq an (k)
95	quatre-vingt-quinze	quatre-vingt-quinze an
100	cent	cent an
500	cinq cents	cinq cents-an (z)
505	cinq cent cinq	cinq cent cinq-an (k)
5000	cinq mille	cinq mille an
5005	cinq mille cinq	cinq mille cinq-an (k)

vingt et un

vingt-cinq

cinquante-cinq

soixante-quinze

oin
oin
OIN

les coins et les recoins

de la pâte de coing

de moins en moins
(z)

votre conjoint

les joints des carreaux

joindre quelqu'un

un coup de poing

ils ont perdu cinq points à quinze
(z)

des chaussures à bout pointu

avec soin

avoir besoin de quelque chose

habiter loin

Pars en premier, je te rejoins !

Martin remplace le joint du lavabo.

Quelle est votre pointure de chaussure ?

Il pointe tous les matins quand il arrive.
(t)

| **moins** | **moine** | **moineau** |

Antoine a besoin de soins intensifs.

Il est hospitalisé à l'hôpital des Quinze-Vingts.

Ce n'est pas loin de chez Antoinette.

Elle le rejoint en moins de cinq minutes.

– Allo, Martin ? C'est Vincent . Bonjour.

– Ah , Vincent ! Bonjour. Comment va -tu ? Alors , tu nous rejoint
lundi, c'est fini les vacances ? Papa t'attend . Il a grand besoin
de toi, il l'a encore dit hier.

– Justement , il y a un problème. Ne venez pas me chercher le
cinq. Je dois rester ici encore quinze jours . Impossible de faire
autrement . Désolé, j'arrive le vingt , le vingt juin.

– Qu'est-ce que tu dis ? Le vingt juin? Qu'est-ce qui t'arrive? On a tout
préparé ! Et puis le vingt, c'est quel jour, le vingt ? Un mardi ?
Impossible, personne n'est libre. Moi, je suis toute la journée au
magasin. Et Quentin est chez le médecin, pour ses vaccins (vaksin).

– Il a besoin de vaccins ?

– Tu n'as pas oublié quand même ? Il part en mission au Bénin.
Tu te rappelles au moins qu'on fête à la fin du mois les quatre-
vingts ans de papa ?
(z)

pin .   .   point .

Il est moins malin que son cousin.

ai - ei

è	=	*ai*	=	*ei*
è	=	ai	=	ei
È	=	AI	=	EI

la paix
du lait
la caisse
la chaise
les fraises
la vaisselle
une semaine
l'anniversaire
le salaire
le maire
les affaires
la retraite
les saisons
la monnaie

j'ai
j'avais
j'étais
tu sais
elle fait
il connaît
s'il vous plaît
s'il te plaît
elle a raison

mais
jamais

saine
vaine
clair - claire
vrai - vrai
frais - fraîche

Claire

une dizaine
une douzaine
une quinzaine
une vingtaine
une trentaine
une quarantaine
une cinquantaine
une soixantaine
une centaine

Ukraine
Lorraine
Aquitaine
Pas de Calais
le mois de mai
AIX-LA-CHAPELLE
PALAISEAU
CAMBRAI
BEAUVAIS

Madeleine

la peine

treize
seize
soixante-treize
soixante-seize
quatre-vingt-treize
quatre-vingt-seize

---

aï = a + i

Thaïlande
Port-Saïd
naïf - naïve

Quai Voltaire   Quai Malaquais   Quai de la Gare   Quai de la Râpée

Il aime la cuisine marocaine, la musique africaine et les voitures américaines.

La Reine des Hollandais s'appelle Béatrix.

françai	française
sénégalai	sénégalaise
camerounai	camerounaise
portugai	portugaise
anglai	anglaise
japonai	japonaise
angolai	angolaise
t ailandai	t aïlandaise
irlandai	irlandaise
pakistanai	pakistanaise

Les Sénégalai et les Congolai parle français.

Les Angolai parle portugai, les Ougandai… anglai.

Et les Camerounai ? Ils parle français et anglai.

La Seine coule à Pari, la Vilaine à Renne.

Le san coule dans les veine et les artère.

Je sui vacataire à la Mairi de Pari.
Je voudrai être contractuel.
Que faire?

- Bonjour, est-ce que je pourrai parler à Madeleine,
s'il vous plaî ?

- Désolé, je croi que vou vou trompez : il n'y a pa de
Madeleine, ici. Vou avez dû faire un fau numéro.

- O , excusez-moi.

La pleine lune éclaire la plaine.

Chez le médecin :

- J'ai tou le temp mal à la tête. Je me sen faible, je me traîne....

- *Vous avez de la fièvre ?*

- Je ne sai pa .

- *Bon, je vai vous examiner...*

Dan la ru :

- S'il vou plaî , madame, vou connaissez le boulevar Voltaire ?
- *Mai oui, je vai vous expliquer.*

Au supermarché :

- Je ne trouve plu ma pièce de 1 € pour le chario ...

Qu'est-ce que j'en ai fai ?

Excusez-moi, madame, vous avez de la monnai ?

C'est pour le chario .

J'appelle pour un rendez-vou chez le dentiste :

- Bonjour, ici le Centre dentaire.

- *Bonjour, madame, je voudrai un rendez-vou ,
  s'il vous plaî .
  Est-ce que ce serai possible un lundi aprè -midi?*

- Oui, tout à fai . Je vou propose:
  lundi à midi et demi .

- *Je préfèrerai plu tô , c'est possible?*

- Oui, alors midi, cela irai ?

- *C'est parfai . Merci beaucou , madame.*

s'il vous plaît .

vendredi treize .

Je voudrais un café au lait.

Il a quatre-vingt-treize ans.

Je n'ai pas encore reçu mon salaire.

J'ai fait grève le seize mai.

la Thaïlande

gne
gne
GNE

L'Allemagne, l'Espagne, la Pologne, la Grande-Bretagne fon
parti de l'UE.

*La Catalogne est en Espagne, la Sardaigne est en Itali, la
Bretagne, la Bourgogne, l'Auvergne et la Champagne sont en
France.*

Je passe mes vacance à Boulogne-sur-Mer sur la Côte d'Opale.

Cette anné, pour mes congé de Pâque, j'ésite entre la
montagne et la campagne.

Un pagne, un peigne et une brosse à den : à moi les île !

gné = *gner*
gné = **gner**
GNÉ = **GNER**

Danièle a tourné la poigné de la porte du grenier et
a senti une toile d'araigné sur son visage. Elle a
crié et est vite parti !

**Tu sai quoi ? On a gagné un magnétoscope à la tombola.
Mai c'est complètemen ringar, il n'y a plus de
cassette aujourd'ui !**

Pour se baigner san risque, il fau soigner sa forme et
faire des exercice de réchauffemen avan d'entrer dans
l'eau.

gni = *gny*
gni = gny
GNI = GNY

```
Brétigny, Gagny, Champigny, Bobigny,
Montigny et Savigny son des ville proche
de Pari.
```

Un monumen magnifique.

gno gno **GNO**	Certains vins du vignoble du Beaujolais ont un parfum de magnolia.

gnon gnon **GNON**	Si on ignore la nature des champignons, il ne faut manger que des champignons de Paris en boîte. *Mon compagnon qui est espagnol est parfois grognon, dans ces cas-là je l'ignore.*

gna gna **GNA**	Il a assisté à la signature du contrat.

gnan gnan **GNAN**	Sa compagne est aide-soignante. Il a tiré le signal d'alarme sur la ligne 4 du métro, PORTE D'ORLÉANS - PORTE DE CLIGNANCOURT.

---

io

des produits **b**io
la ra **d**io
le ra **f**iot
des ag **g**ios *(ajio)*
FO **L**IO
une **l**ionne
le **m**yocarde
une ca **m**ionnette
Niort *- agneau - espagnol*
magnolia - cagnotte
niais *- Agnès*

le ta **p**ioca
Un cha **r**iot
Ma **r**io
Onta **r**io
pas **s**ionné
un mi **ss**ionnaire
un pe **t**iot
un a **v**ion
des ra **v**iolis
Yolande

> Quand j'entends "**io**" j'écris "**io**".
> Mais il y a un problème avec la lettre "**n**":

J'entends "nio"	j'écris "gno"	⟶	ignorant
J'entends "nion"	j'écris "gnon"	⟶	grognon
J'entends "nie"	j'écris "gne"	⟶	digne
J'entends "nié"	j'écris "gné"	⟶	gagné
J'entends "nia"	j'écris "gna".	⟶	signature

ÉVITEZ DE GRIGNOTER ENTRE LES REPAS.

Personne n'ignore que l'union fait la force.

Il soigne sa ligne : il court tous les matins au Bois de Boulogne.

C'est un champion qui reste très digne dans la défaite.

On a signalé qu'il n'y a plus de lumière dans l'entrée.
On risque de se cogner ou de tomber.

`Le vigneron cultive sa vigne.`

Elle et lui habitent le long de la même ligne de métro: c'est un signe du destin.

Ali a gagné la cagnotte : il a offert des brochettes d'agneau à toute la compagnie.

Ignace a encore des cousins en Espagne mais il ne parle pas espagnol. Il est né à Bobigny. C'est son grand-père qui est venu en France dans les années cinquante.
Son grand-père venait de Catalogne.
Lui, il gagne sa vie depuis qu'il a quatorze ans.
Au début, à Gagny, il aidait au magasin.
Puis, il est parti en Allemagne et en Grande Bretagne.
Il a été partout, il a tout fait, et il a gagné sa vie.
À son retour, il a acheté une magnifique maison
à Champigny pour ses parents.

C'est un magna de l'industri : au printem   il reste en Auvergne chez lui, en été il va à la mer en Sardaigne, à l'auto nne *(o-tone)* il séjourne à la campagne, dans son vignoble en Bourgogne, et en iver il fai du ski dan les montagne de Cerdagne.

Aprè une réunion de quatre jour , on a enfin signé un traité. On va collaborer pour le développemen d'un espace économique commun. La presse a souligné ce gran pa en avan .

Il a nié avoir signé ce chèque, il en ignore l'origine.

gn

gn gn gn

GN

une signature

de l'agneau

des champignons

Éteignez la lumière en sortant.

- er

escalier

- ed

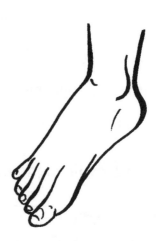

pied

- ez

nez

- in

cinq

- ai

- ei

16

chaise

seize

- gn

peigne

ge - gi - gea - gen

u → ju	i y → ji	e → je	eu → jeu	é → jé	è ai → jè jai
Julie	tajine	je	jeudi	Jérémie	j'ai
Justine	j'imagine	jeter	le jeu	j' ésite	j'aime
le Jura	j'y vais	jeton	jeune		majesté
la justice			déjeuner		Jette !
le judo					
la jupe					
juin					

gi	ge	geu	gé	gè gê geai
fragile	ménage		Algéri	
Égypte	logemen	nageur	mer Égé	
Rungis	linge		Gérar	Angèle
Cergy-Pontoise	étage	mangeur	âgé	
Gilberte	neige		géan	
Brigitte	genti	songeur	géni	
Gille	orange		général	étagère
un gigo	fromage		généreu	
agité	gorge		congé	gel
girafe	mariage		léger	
gymnastique	boulangeri		danger	
un régime	garage			
imaginer	geler			courgette
aubergine	la plage		déménager	
	la page		nager	
	une image		manger	il mangeai
	genou		changer	
	chauffage		ranger	il bougeai
	bagage			
	courage			il rangeai
	dommage			

Ce matin, il fai trè froi . Il a gelé, cette nui . Il y a du givre sur la
fenêtre de la cuisine. Brigitte monte le chauffage. Y aura-t-il de la
neige à Noël ?

Gilber et Geneviève on déménagé pendan les congé d'été. Ils

on trouvé un logemen pa trè cher et assez gran , au premier

étage. Aprè six an dan un studio, quel changemen !

en → **j**en	a → **j**a	an → **j**an	o au → **j**o	ou → **j**ou	on oin → **j**oi	on → **j**on
J an	Jacque	janvier	Jordani	jour	la joi	jon
j'en veu	le pyjama	jambe	joli	jouer	le join	jonque
J'enten	jalou		jaune	journal		donjon
			j'autorise	ajouter		
			j'organise			

gen	**g**ea	**g**ean	**g**eo		**g**eoi	**g**eon
Argentine	orangeade	vengeance	George		bourgeoi	pigeon
Agrigente	mangeable	dirigean	un cageo			plongeon
argen			la rougeol			bourgeon
agen						
gendarme						
gencive						
gendre						
genre						
URGENCE						
urgen						
les gen						

Nous déménageons

Mangeons tant que c'est chaud.

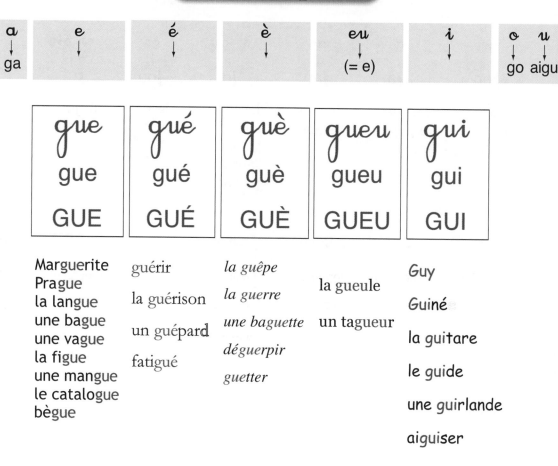

a	e	é	è	eu	i	o u
↓	↓	↓	↓	↓	↓	↓ ↓
ga				(= e)		go aigu

gue	*gué*	*guè*	*gueu*	*gui*
gue	gué	guè	gueu	gui
GUE	GUÉ	GUÈ	GUEU	GUI

Marguerite	guérir	*la guêpe*		Guy
Prague		*la guerre*	la gueule	
la langue	la guérison			Guiné
une bague		*une baguette*	un tagueur	
une vague	un guépard			la guitare
la figue		*déguerpir*		
une mangue	fatigué			le guide
le catalogue		*guetter*		
bègue				une guirlande
				aiguiser

Il s'est jeté dans la gueule du loup.

Les transports publics sont en grève. Il n'y a plus de R.E.R., plus de bus, plus de métro. Les gens marchent à pied, roulent à vélo ou font du stop. Quelle fatigue !

Gérard est salarié dans un garage à Gonesse. Mais il habite à Cergy. Pour ne pas perdre une journée de salaire, il s'est arrangé avec Gilbert, un collègue qui a une voiture. Ils partiront très tôt le matin, pour éviter de rester coincés dans les bouchons.

Georgette, elle, est caissière dans un grand magasin, à Paris. Elle habite à Rungis. Elle a décidé de partir en stop. À pied, c'est trop long et trop fatigant. Et puis, les jours de grève, les gens sont gentils. Quand ils ont une place libre dans la voiture, ils s'arrêtent et ils prennent un passager supplémentaire. Georgette en est sûre : elle va arriver à temps. Et à partir de ce soir, elle logera chez des amis à Paris jusqu'à la fin de la grève.

le bagne

la bague

Il est digne.

une digue

Elle fignole.

la figue

Il se baigne.

Il est bègue.

magnifique

la mangue

et

$$et = (è)$$

poulet **poulet** POULET

le robinet	coquet	coquette
un bracelet	violet	violette
le briquet	muet	muette
un secret	complet	complète
le jouet	incomplet	incomplète
un tiret	discret	discrète
le rivet	indiscret	indiscrète
un volet		

Le premier mai, on offre un bouquet de muguet, pour porter chance.

Mon fi s cadet promet à chaque foi :
« Je remet en ordre ma chambre »,
mai il oubli toujour sur le parquet son carnet d'adresse ,
les ticket de métro usagé et même des cachet d'aspirine!

Un poulet rôti   .

Je voudrais un carnet de tickets.

Au marché, madame Rouquet achète des navets violets pour sa soupe, elle les met dans son filet à provisions avec les autres légumes, un bouquet de persil et un paquet de pâtes.

Juliette porte un bracelet très fin et très discret à son poignet. C'est un petit objet qui ne la quitte jamais. Personne ne le remarque. C'est comme un secret entre elle et son fiancé.

À midi, Madeleine va poster un paquet. Il y a une file d'attente d'au moins dix personnes. Elle finit par arriver au guichet. Elle donne son paquet et elle demande un carnet de beaux timbres. D'accord pour le paquet, dit l'agent de La Poste, mais pas pour le carnet : vous n'êtes pas au bon guichet.

J'ai pris un cornet de frites.

Il s'est foulé le poignet.

eu - eur

eu / EU

eur / eul

je

(eu fermé)   **(eu ouvert)**

heureu	*heureuse*	la chanteuse	*le chanteur*
malheureu	*malheureuse*	la serveuse	*le serveur*
sérieu	*sérieuse*	la coiffeuse	*le coiffeur*
soigneu	*soigneuse*	la vendeuse	*le vendeur*
			le facteur
peureu	*peureuse*		*le professeur*
dangereu	*dangereuse*	l'institutrice	*l'instituteur*
courageu	*courageuse*	l'actrice	*l'acteur*
		la directrice	*le directeur*
délicieu	*délicieuse*	l'inspectrice	*l'inspecteur*
creu	*creuse*	la doctoresse	*le docteur*
			un ascenseur
affreu	*affreuse*		*la couleur*
			la chaleur
curieu	curieuse		*la douceur*

le genou

menteuse   *menteur*

un **cheveu**
le **feu**
le **lieu**
de m**ieu**x en m**ieu**x
      (z)
p**eu** à p**eu**
p**eu**t-être
chez **eu**x

seul

jeudi

elle veu
je peu
il pleu
tu pleure

le livre
mercredi
vendredi
samedi
le **beu**rre
le **fleu**riste

œu / oeu / OEU

un vœu   une sœur

un nœud   un cœur

des œu(s) (z)	un œuf (n)
des bœu(s)	un bœuf

Les pneus de la voiture sont usés.

C'est dangereux.

Le feu arrière droit ne marche pas.

Il y a un problème au moteur et le ventilateur fait

un drôle de bruit ;

il est temps de trouver un bon garagiste.

Il va mal. C'est son cœur : il ne supporte pas la chaleur.

Si cela ne va pas mieux, on appelle le docteur.

Il est coiffeur à La Courneuve.

Comme il est sérieux et très courageux,

il veut gagner le concours du premier ouvrier de France.

Le petit dernier a les yeux bruns de son père.

Sa sœur, elle, a les yeux plus clairs de sa mère.

Chez eux, personne n'a les yeux bleus.

Le vendeur est parti déjeuner.
Si tu veux lui parler,
tu peux revenir dans une heure.

Il nous a appelé pour nous souhaiter beaucoup de bonheur.

Il nous a dit : "Tous mes vœux !

J'espère que vous serez heureux et que vous aurez de nombreux enfants".

ge

fromage

gi

bougie

gue

bague

gui

guitare

- et   eur

poulet   fleur

eu   œur

feu   cœur

VINTIMILLE   LES ANTILLES

LES ALPILLES

MANILLE   LA CASTILLE

Métro BASTILLE

SÉVILLE   Camille

Tout ce qui brille n'est pas or.

Le bébé babille.

L'enfant s'habille et se déshabille tout seul.

"Garçon" s'écrit avec un c cédille.

Ma belle-fille se maquille un peu trop.

Tout le monde écrit au stylo-bille, c'est plus pratique.

Je me suis cassé la jambe et jusqu'à la fin du mois je marche avec une béquille.

ILLE se prononce

(il) dans 4 mots :

LILLE , tranquille ,

ville et mille .

J'habite à Lille . C'est une grande ville de deux cent mille habitants.
(la)
Mais qu'est-ce que j'aimerais vivre dans un petit centre tranquille de deux mille habitants !
(la)

L'été, aux Antilles, je me promène tranquillement sur la plage en espadrilles.

Ce jouet n'était pas cher, je l'ai acheté pour ma fille, mais il s'est tout de suite cassé : c'est de la pacotille et j'ai perdu mon argent.

Le matin je mange un œuf à la coque après en avoir brisé la coquille, je me fais des tartines avec de la confiture de myrtilles et je bois du thé à la vanille.
À midi, je déjeune à la cantine.
Le soir, je dîne en famille et, avant de dormir, je prends une tisane :
de la verveine ou de la camomille.

ma belle-fille .

je m'habille .

écrire au stylo à bille

.

Remplir correctement la grille.

.

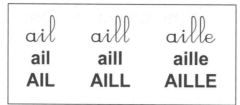

aille

ail	aill	aille
ail	aill	aille
AIL	AILL	AILLE

Le Château de VERSAILLE   Boulevar Raspail   LA CORNOUAILLE

À 65 an , après avoir reçu la médaille du travail, j'ai visité la grande muraille de Chine.

Bébé quand il babille est tou mignon mai quand il braille, quelle orreur !
(t)   (t)

On ne peu pas être débraillé et les cheveu en bataille quand on va au travail.
(t)

Essui tes pie sur le paillasson !

Déraillemen d'un train à Manille: 15 blessé .

J'ai du mal à marcher : j'ai un caillou dan ma chaussure.

Je sui fatigué : je n'arrête pa de bailler depui ce matin !

Pour le match France - Nouvelle Zélande je me suis acheté le maillo des Bleu .

À la ferme le bétail est dan les pré , la volaille dan la basse-cour, les poule dan le poulailler ...... et dan les cham il y a l'épouvantail pour éloigner les oiseau .

En France la coutume est d'offrir à sa fiancé une bague de fiançaille .

Avan de signer son contra d'embauche il fau le lire en détail.

Les téléspectateur du monde entier on regardé les funéraille de la Princesse Diana.

Prière de respecter le travail.

Lyon est une ville avec du brouillar le matin à cause de la S ône et du R ône.

On n'a pa le droi de **fouill**er dan les affaire des autre , c'est indiscret.

Les enfan se chamaille et se réconcilie ; les adulte , eu , après une dispute reste brouillé souven pour lon tem .

Quand il fai froi , je pren un bon bouillon de légume le soir.
(t)

---

des nouilles

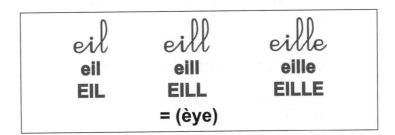

On prépare le réveillon du Jour de l'An.

C'est une vieille connaissance.

Notre-Dame de la Garde est l'une des merveille de Marseille.

Ce soir, soupe à l'oseille !

Un bon conseil : au réveil, faite quelques exercice d'assouplissemen .
(z)

Le surveillan est là pour prévenir les acte malveillan .
(z)

euille

euil	euille
euil	**euille**
EUIL	**EUILLE**

MONTREUIL   AUTEUIL   BRETEUIL   ARGENTEUIL

Les feuilles tombent à l'automne.

À la mort de son père ou de sa mère on porte le deuil pendant un an.

À la pâtisserie j'ai sorti un billet de vingt euros pour pouvoir acheter trois mille-feuilles à la vanille et aux groseilles.

On est généralement moins confortablement assis sur une chaise que dans un fauteuil.

Veuillez nous signaler tout changement d'adresse.

une feuille blanche

le seuil d'alerte

Veuillez déposer vos objets métalliques.

EUIL peut s'écrire ŒIL

œil
oeil
ŒIL

= (euil)

Ta grosse chaîne autour du cou est vraiment trop tape-à-l'œil !

Jette un coup d'œil, s'il te plaî, au devoir de maths d'Olivier. Il l'a fait en un clin d'œil et je me demande s'il ne l'a pas bâclé.

Des peintures en trompe-l'œil décorent parfois des murs d'immeubles.

un œil .   .

EUIL peut s'écrire UEIL

ueil   *ueille*
ueil   **ueille**
UEIL   **UEILLE**

= (euil)

Bourgueil est une jolie ville célèbre pour son vin.

Il cueille des fruits.

La foule suivait le cercueil avec recueillement.

L'orgueil peut être un défaut ou une qualité.

un recueil de poésie .

ille

ille

famille

1000

mille

ail

maillot

eil

réveil

œil

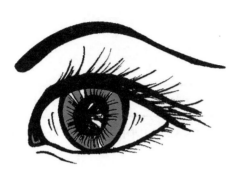

œil

euille

feuille

ouill

brouillard

ch

> un chat
> une chatte
> un cheval

h

> un homme
> un théâtre
> un hôpital

ph   ph   PH

pha = fa	pho = fo	phi = fi	phe = fe

pha = fa

PHARMACIE

les phares

pho = fo

le téléphone

téléphoner

francophone

FRANCOPHONIE

aphone

PHOTOS

la photographie

photographier

le photographe

faire une photo

un appareil photo

des appareils photo

phi = fi

LES PHILIPPINES

Philippe

Sophie

la philatélie

la philosophie

phe = fe

l'orthographe

phan = fan	phin = fin	phy = fy	phé = fé

phan = fan

un éléphant

phin = fin

un dauphin

phy = fy

en bonne forme physique

phé = fé

un phénomène

Je suis aphone, je n'ai plus de voix, je vais à la pharmacie pour acheter des pastilles pour la gorge.

Tu as reçu un coup de téléphone du photographe : tes photos sont prêtes.

ALLUMER LES PHARES EN CAS DE BROUILLARD.

Philippe a quatre-vingts ans mais il est encore en très bonne forme physique. Il s'intéresse toujours à la philatélie et il possède un nombre de timbres impressionnant.

Les habitants de la Francophonie parlent le français soit comme langue officielle (la France, la Belgique, le Québec au Canada, la Suisse) soit en plus des autres langues parlées (par exemple les États de l'Afrique francophone comme le Mali, le Sénégal, la Côte d'Ivoire ...).

D'abord on apprend à lire et à écrire phonétiquement (on écrit comme ça se prononce) puis on apprend l'orthographe (on écrit les mots comme ils sont écrits dans les livres) : c'est ainsi qu'on écrit un enfant mais un éléphant.

TÉLÉPHONE

un appareil photo

la pharmacie

l'orthographe

𝓉𝒾𝑜𝓃 tion TION = (sion)

𝓉𝒾 = (si)

- ATION

l'aviation

il a une bonne situation

l'éducation des enfants

CIRCULATION FLUIDE

formation professionnelle

la réparation de la voiture

la préparation du couscous

l'immigration clandestine

une opération chirurgicale

une station de métro

l'invitation à une fête

sans hésitation
     (z)

- OTION

avoir des notions d'anglais

- ITION

respecter les traditions

faire les finitions

je suis à votre disposition

- UTION

la Révolution française

la pollution dans les villes

- CTION

une réaction allergique

direction BALARD

bénédiction paternelle

grève de la fonction publique

- ENTION

ATTENTION DANGER

j'ai l'intention de

j'ai reçu une contravention de 11 €

- EPTION

réception à l'hôtel de Ville

Quelle déception !

---

la patience

essentiel

prétentieux

les initiales

le dictionnaire

la correction

le fonctionnaire

international

Laetitia
(lé) (ti) (sia)

démocratie
(s)

mais

démocratique
(t)

Formule finale d'une lettre officielle:

Veuillez agréer, Madame, l'expression de ma considération distinguée.

Il sai faire des addition , des soustraction et des multiplication mais il n'a pa encore appri à faire des division .

Il y a une manifestation de République à Nation, à l'initiativ des syndica .
La circulation est difficile.
Les agen signale les déviation et les changement de direction.
Les automobiliste fon attention et ne proteste pa .
Ils sont patien , ils ne veule pas risquer une contravention.

Il a une bonne situation : il est fonctionnaire international. Il est souven parti en mission mais cela ne l'empêche pa de faire attention à l'éducation de ses enfan .

Attention !

Je suis à votre disposition.

Il y a un défaut de fabrication.

in = *ain, aim*   =   *ein, eim*

in = **ain,** aim   =   **ein,** eim

IN = **AIN,** AIM   =   **EIN,** EIM

Alain

les deux main
le train de 18h.15
du pain frais
il crain le froi
porter plainte
du café en grain
la salle de bain
le cheval et son peti , le poulain
il invite tou ses copain
une maison avec terrain

sain - saine
vilain - vilaine
soudain - soudaine
lorrain - lorraine

sain - sainte

maintenan
demain

il se plain toujour .

AIX-LES-BAIN
SAINT-ÉTIENNE
SAINT-GERMAIN
SAINTE

manger à sa faim

la bai de PAIMPOL

serrer le frein à main

se serrer la ceinture

un peintre en bâtimen

la teinture des tissu

les empreinte digitale

plein - pleine

étein - éteinte

j'ai fai repeindre mon appartemen .

j'ai attein l'âge de la retraite.

il fau éteindre l'ordinateur.

REIMS

UNE VIE SAINE DANS UN ENVIRONNEMENT SAIN : FAITES LE PLEIN À
AIX-LES-BAINS !

La cathédrale de Reims est l'une des plus belles de France.

La lumière est éteinte, j'éteins aussi le chauffage.

Saint Deny et Sainte Geneviève sont les saints patron de Paris.

Il est convaincu que son équipe, le Paris Saint-Germain, gagnera le championnat.

Mon copain Alain se plaint que les freins de sa nouvelle voiture sont trop durs. Il dit que demain il la ramènera chez le garagiste. Il en profitera pour faire le plein et pour faire régler les ceintures de sécurité. Mais maintenant il a faim et il va déjeuner.

Maison avec terrain, trois chambres,

et deux salles de bains.

$$y = i - i$$

ai - ia	→	aya
ai - ian	→	ayan
ai - ion	→	ayon
ai - iu	→	ayu
ai - ié	→	ayé
ai - ier	→	ayer
ai - ie	→	aye

Payable en troi foi san frai .

Entré payante.

une boît de crayon de couleur

un pull bleu à rayure blanche

Le disque est rayé.

Il fau payer à la caisse.

Essaye encore une foi !

Il a reçu sa paye.

oi - ia	→	oya
oi - ian	→	oyan
oi - ion	→	oyon
oi - ien	→	oyen
oi - ieu	→	oyeu
oi - iai	→	oyai

Métro PALAI -ROYAL

PARI -ROYAN : 4 eure de train

Nou voyon souven nos ami .

Cette voiture est au-dessu de no moyen .

JOYEUSE FÊTE !

Tou les soir quan je rentrai du travail, mes chien
aboyaie dè qu'il me voyaie .

ui - ia	→	uya
ui - iau	→	uyau
ui - ian	→	uyan
ui - ieu	→	uyeu
ui - iè	→	uyè
ui - ion	→	uyon

Il s'appuya contre le mur.

Ouvre le robinet du tuyau d'arrosage.

Le boulevar Magenta *(Majinta)* est trè bruyan .

Ce film est ennuyeu .

Met du gruyère râpé sur les pâte .

Essuyon la vaisselle !

NETTOYAGE À SEC

Je vous souhaite un très bon voyage. Envoyez-nous des cartes postales.

Cet après-midi le ciel était couvert mais vers trois heures il y a eu un beau rayon de soleil.

BON VOYAGE !

JOYEUSES FÊTES !

Rayer les mentions inutiles.

À renvoyer par retour du courrier.

SOYEZ PRUDENTS SUR LES ROUTES !

Entrée payante.

ien

$$ien = i + (in)$$
$$\textbf{ien} = \textbf{i} + \textbf{(in)}$$
$$IEN = I + (IN)$$

Algérien	Algérienne	AMIENS
Tunisien	Tunisienne	
Malien	Malienne	Aurélien
Égyptien	Égyptienne	Bastien
Jordanien	Jordanienne	Damien
Palestinien	Palestinienne	Sébastien
Iranien	Iranienne	
Italien	Italienne	Le gardien du musé .
Norvégien	Norvégienne	
Indien	Indienne	Vien ! Tu voi bien qu'on gêne.
Australien	Australienne	
Parisien	Parisienne	Tien ! Il est là. C'est bien !
Julien	*Julienne*	– Tu veu manger quelque chose ?
Lucien	*Lucienne*	– *Non rien, merci !*
Fabien	*Fabienne*	
musicien	musicienne	Le Premier Ministre algérien
pharmacien	pharmacienne	a vu le Président italien.
chirurgien	chirurgienne	
physicien	physicienne	
le mien	la mienne	
le tien	la tienne	
le sien	la sienne	

$$éen = é + (in)$$
$$\textbf{éen} = \textbf{é} + \textbf{(in)}$$
$$ÉEN = É + (ÉN)$$

Guinéen   Guinéenne

$$en = (in)$$
$$\textbf{en} = \textbf{(in)}$$
$$EN = (IN)$$

Benjamin

L'agenda du mois

Un examen du sang

C'est combien ? Vingt euro ? Vou plaisantez ?
Chez mon épicier italien c'est à quinz euro !

– *Tiens, pren , c'est ton stylo.*
– *Mai non, ce n'est pa le mien. Le mien, regarde, il est dan ma trousse.*
– *Alor , il est à qui, ce stylo?*
– *Donne-le à Sébastien. Il a encore perdu le sien. Depui le débu de l'anné ,*
  il en a perdu je ne sai combien !

Aurélien s'ennui . Sa chambre d' ôpital lui paraî bien vide. Son voisin, Bastien, un informaticien, est sorti vendredi matin.

Aurélien s'entendai bien avec Bastien. Ils on beaucou parlé, tou les deu . Aurélien est gardien dans un immeubl . Il s'intéresse à l'informatique, mai son ordinateur est ancien. " Je n'ai pa les moyen d'en acheter un autre, un neuf ", a-t-il di à Bastien.

Bastien lui a donné une adresse où on trouve des ordinateur récen , mai pa tro cher. " Dan ce magasin, on respecte les clien ", a précisé Bastien. Il lui a aussi parlé des cour municipau d'informatique. Et il a ajouté : " Quan tu aura ton nouvel ordinateur, ce serai bien de prendre des cour . Tu retien tou , tu n'aura pa de difficulté à suivre. Tu fera des progrè rapide et, bientô , tu n'aura plu besoin du professeur. "

En parlan avec Bastien, Aurélien a compri qu'il aimai apprendre. Mai comme il a détesté l'école ! Il a raté tou ses examen . Normal, il ne faisai rien. Il rêvai d'être musicien. Mais on ne gagne pa sa vi en jouan de la trompette dan le métro parisien. Finalemen , il est devenu gardien. Et ce métier lui plaî : il a des responsabilité , il connaî tou le monde, les joi , les difficulté de chacun, au quotidien.

Tiens, il y a du brui dan le couloir. C'est peut-être le chirurgien qui vien voir ses malade . Non, Aurélien ne reconnaî pa sa voi . Mais il enten l'infirmière qu'il aime bien, celle qui s'appelle Fabienne.

On frappe, la porte s'ouvre : " Bonjour, di l'infirmière, vous avez un nouveau voisin ! "

Adrien est pharmacien, pas musicien.

ph

téléphone

tion

$$
\begin{array}{r}
1\ 9\ 5 \\
+\ 1\ 3\ 8\ 0 \\
+\qquad 9 \\
\hline
1\ 5\ 8\ 4
\end{array}
$$

addition

ain

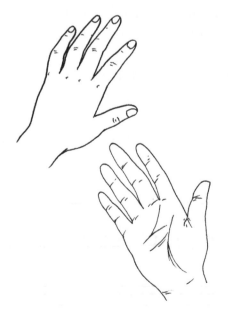

mains

ein

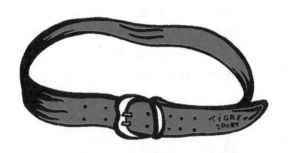

ceinture

- y -

crayon

ien

chien

Pour en savoir plus

Une lettre ou plusieurs ne se prononcent pas

août   respect
oignon   aspect
doigt   comptes
sept, septième   automne
banc   asseoir, s'asseoir
fils   tabac

Le mois d'août annonce déjà l'automne.

Il aime asseoir son enfant sur un banc et s'asseoir à côté de lui.

Mon fils compte les jours avant Noël.

Montrer quelqu'un du doigt.

Non, je ne pleure pas, ce sont les oignons !

La loi interdit l'usage du tabac dans les lieux publics.

Des sept jours de la semaine, le septième est consacré au repos.

Il n'y a plus de respect ! J'habite au septième étage et personne n'a pensé à moi quand l'ascenseur était en panne.

mes comptes

La dernière lettre se prononce

sud   -   index   -   mars   -   cap   -   sens

Info ou Intox ?

Cap Canaveral.

L'index est un doigt de la main.

Il y a quatre directions : le nord, le sud, l'est et l'ouest.

Ça n'a aucun sens pour moi !

Pour en savoir plus

cc *se prononce* **ks**		
acciden	accès	accepter
succè	succéder	accen

Un acciden de parcour.

Un gran succè.

Parler avec l'accen.

Accepter un travail.

C'est_une actrice célèbre. Elle a toujour gardé un petit_accen anglai, mai cela ne l'a pa empêché d'avoir du succè.

Il a succédé à son père à la tête de l'entreprise.

Aprè son acciden, il a accepté de ne plu conduire.

ATTENTION ACCIDENT .

er *se prononce* **èr**	
hier	mer
fer	ver
fier	ver

Hier, ver midi il est parti à la mer.

Pierre est trè fier de lui. Hier, il a réussi à trouver du travail.

---

le fer à repasser .

---

ill *se prononce* **il**		
mill	million	milliar

Mill million c'est un milliar.

Deux mill million c'est deux milliar.

---

deux mille millions .

Chaque lettre   IM, ON   *se prononce séparément*

intérim   bon omme

L'agence d'intérim n'a personne à proposer, pour l'instan , à l'entreprise.

mon petit bonhomme .

Une lettre ou plusieurs *se prononcent autrement*

secon , seconde   monsieu   minimum, maximum
(gon)   (gon)   (meusieu)   (mome)   (mome)

Une seconde, j'arrive !

Obtenir le maximum avec un minimum d'effor .

– *Bonjour, monsieu , comment allez-vou ?*
– *Vous abitez au premier ?*
– *Non, au secon .*

PARIS, RUE MONSIEUR-LE-PRINCE

c'est le maximum   .

CH *se prononce* K

c oléra   -   c ronomètre

Sa montre est un vrai c ronomètre.

Après la catastrophe, on crain une épidémi de c oléra.

chronométrer .

Pour en savoir plus

EMM *se prononce* AM

femme   -   évidemmen

Un billet seulement ? Mais nous sommes deux, ma femme est avec moi
(fa)
évidemmen .
(da)

ma femme .

OÊL *et* OELL *se prononcent* OAL

une poêle, un poêle   -   la moelle, un moellon

On ne cui pas l'os à moelle dans une poêle : il fau une cocotte.

un gâteau bien moelleux

Faites sauter à la poêle.

Deux mots à part

question (t)   -   piqûre (ku)

Pa question de piqûre , je me soigne tou seul !

une piqûre de guêpe

Pour en savoir plus

Mots étrangers

club *(kleub)* - football *(foutbol)* - Internet *(internèt)* - diesel *(diézel)*

w = ou

kiwi - kilowatt - sandwich - western - webcam *(ouebcame)* - William *(ouiliame)*

w = v

wagon *(vagon)*

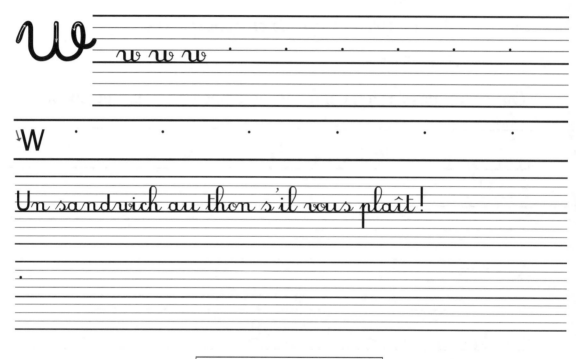

W

Un sandwich au thon s'il vous plaît !

SH *se prononce* / CH /

shampooing   short   cash

Quelle horreur quand j'ai ouvert ma valise ! Le shampooing a coulé sur tous mes vêtements, mon beau short est fichu et ma robe habillée aussi.

Dans cette petite épicerie on ne peut payer que cash.

Un shampooing pour les cheveux secs

UA - OI se prononcent OUA

square (skouar)   -   équateur (ékouateur)   -   gas-oil (gazoual)

Il y a un square près de chez moi.

L'équateur sépare la Terre en deux hémisphères.

SQUARE DU RHÔNE

Du gas-oil pour un moteur diesel.

Abréviations courantes

M. = Monsieur

Mme = Madame

Mlle = Mademoiselle

SVP = s'il vous plaît

etc. = (é tsé té ra)

HS = hors service

SVP

Liaisons difficiles

Rendez-vous à neuf heures précises.
(v)

Elle a un enfant de neuf ans et un deuxième de deux ans.
(v)   (z)

Mandela est un grand homme politique africain.
(t)

00

11

22

33

44

55

66

77

88

99

Guide du formateur

A – Public, objectif, démarche

1. Public

La méthode *Alphabétisation pour adultes -lire et écrire* – s'adresse à des adultes francophones, de niveau oral A2 du CECR (Cadre Européen Commun de Référence pour les langues), et qui, pour avoir trop peu ou trop irrégulièrement fréquenté l'école, ne maîtrisent ni la lecture ni l'écriture.

2. Objectif

L'objectif est de mener les apprenants **du stade de non-lecteur à celui de déchiffreur**, objectif modeste mais réalisable. Les exercices graphiques, eux, pourront permettre aux apprenants d'**acquérir une autonomie de scripteur**.

Cette méthode de lecture comporte un nombre limité de pages et a été conçue pour servir d'outil de référence dans les années suivant l'apprentissage initial.

3. Démarche

La démarche est **syllabique**, sans départ global. Ainsi l'apprenant construit peu à peu un système cohérent de correspondance entre le son et la graphie.

Cette méthode suppose la présence d'un formateur pour valider les apprentissages et développer les exercices-types en fonction des difficultés rencontrées par les apprenants.

a. Lecture

D'emblée les apprenants abordent la lecture de l'écriture imprimée majuscule et minuscule ainsi que de l'écriture cursive minuscule.

Le **chemin de lecture** de la première page permet au débutant de se repérer dans la feuille, de gauche à droite et de haut en bas. Il est figuré par des flèches.

Les dessins ne sont utilisés que dans les premières pages et, à intervalles réguliers, dans le corps du manuel, pour figurer des **mots-clés de référence** (s comme sac, b comme banane, bl comme table, etc.). Une fois parfaitement connus de l'apprenant, ces mots-clés pourront lui servir pour écrire d'autres mots avec la même variante orthographique.

Afin de faciliter l'apprentissage, la notion étudiée est toujours imprimée en bleu.

Nous utilisons **des lettres creuses** pour : l**es consonnes muettes et le « e » muet après voyelle** .
Pour éviter que le débutant ne prononce « marché » le mot marche, **le « e » caduc final** est lui aussi imprimé en lettres creuses jusqu'aux mots-clés 1.

Enfin, lorsque la *prononciation* et la *liaison* ne vont pas de soi, la réalisation phonique est signalée *entre parenthèses*.

Des **polices variées** sont systématiquement utilisées afin d'habituer l'apprenant à lire des écritures différentes. Il s'agit pour lui d'apprendre à repérer ce qui est caractéristique de la lettre, sans se laisser arrêter par des changements de détails.

La **taille des polices** varie elle aussi pour habituer l'apprenant à lire des textes écrits en caractères de plus en plus petits.

Le choix des mots constituant les phrases et les textes respecte la progression des sons étudiés. Aucune lettre non étudiée n'est introduite subrepticement dans un mot. De même, aucune consigne ne figure dans le corps du texte si elle ne peut être lue par l'apprenant.

b. Écriture

Pour l'apprentissage de l'écriture, nous avons choisi les MAJUSCULES D'IMPRIMERIE et les *minuscules cursives droites*.

À ce propos, nous préconisons au formateur de montrer à l'apprenant comment former des lettres sans lever la main (*coadgq*) et d'insister sur les enchaînements difficiles à tracer (*vr ve br be*) et sur les confusions à éviter (*b - f / s - r / e - l / an - on / x - sc*).

Si les cursives se tracent sur des lignes Seyès, les majuscules d'imprimerie, elles, se tracent généralement sur du papier non ligné dans la vie quotidienne ; c'est pourquoi nous les présentons seulement entre deux lignes.

B - Organisation d'une leçon

L'étude de chaque son et de ses transcriptions comporte deux étapes : une leçon de découverte et une leçon d'approfondissement.

I - Leçon de découverte

Une leçon de découverte peut être traitée **en plusieurs séances consécutives**, autant qu'il sera nécessaire. Chaque séance sera organisée en respectant la même progression des différentes activités.

Nous insistons sur cette régularité. En effet, **la reprise systématique des mêmes activités**, toujours dans le même ordre, rassure l'apprenant qui ose alors prendre des risques, ce qui lui permet, à terme, d'accéder à l'autonomie et l'aide à bien mémoriser, lui donne des habitudes de travail et lui permet une réussite renouvelée et encourageante.

Le **déroulement des différentes activités** peut être le suivant :
1. *Le graphème étudié est écrit au tableau dans les trois écritures par le formateur*
2. *Discrimination auditive par des exercices de phonétique*
3. *Tracé des lettres étudiées dans l'espace*
4. *Combinatoire abordée par la lecture en éventail au tableau*
5. *Lecture active avec les lettres mobiles*
6. *Lecture au tableau de suites de syllabes et de mots*
7. *Lecture sur le manuel*
8. *Écriture sur le cahier*
9. *Exercices d'approfondissement en classe (plusieurs séances)*
10. *Exercices de graphie ou de copie à la maison.*

1. Au tableau le graphème étudié dans les trois écritures

Au début de chaque séance, le formateur écrit au tableau le graphème étudié en majuscules d'imprimerie, minuscules d'imprimerie et minuscules cursives, de façon que l'équivalence des trois systèmes d'écriture soit bien acquise.

2. Discrimination auditive par des exercices de phonétique

Il est indispensable que **les sons soient bien identifiés** pour permettre la lecture et l'écriture.

Le formateur pourra trouver des exercices adaptés dans *La Phonétique progressive du français*, éd. CLE International. (ISBN : 209033880-6)

L'emploi d'un miroir de poche est très utile : l'apprenant prend conscience de ce qui caractérise l'articulation d'un son (aperture, etc.), s'observe, essaie, se corrige le cas échéant sans être gêné par le regard de l'autre.

3. Tracé des lettres étudiées dans l'espace

Le formateur, dos aux apprenants, trace la lettre en grand, lentement et plusieurs fois, en demandant à tous d'accompagner son geste. Il se retourne et vérifie les tracés.
En effet, **tracer la lettre avec le doigt en grand dans l'espace devant soi,** puis sur la table et enfin sur la feuille (toujours avec le doigt et sans crayon), non seulement lève les inhibitions, mais encore permet au formateur de repérer un mauvais geste sans que reste la trace d'un « échec ».
Cet exercice est très important.

Remarque : pour différencier des graphies souvent confondues (*co – ca, ou – au, an – on*) ou difficiles (*br – vr*), **des lettres en relief**, fabriquées en tissu épais ou en papier de verre très fin, (avec un fléchage pour indiquer le point de départ et le sens du tracé) se révèlent une aide très efficace.

4. Combinatoire par la lecture en éventail au tableau

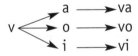

Cet exercice facilite l'accès à la combinatoire. Nous le proposons jusqu'aux Mots-clés 1. Il se pratique avec la plupart des consonnes. On prolonge le son de la consonne jusqu'à terminer la syllabe :

jjjjjjj————ja *chchch————cho* *sssssss————si*

5. Lettres mobiles

a. Description des lettres mobiles

Les lettres mobiles sont de **petites cartes** *marquées en leur milieu par une ligne* qui permet de situer le corps de la lettre selon qu'il « dépasse en haut », « dépasse en bas », « ne dépasse pas » et permet de composer un mot avec des lettres au même niveau. Elles sont faciles à fabriquer avec du bristol ou du carton léger.

Sur une face la lettre est écrite en *majuscules d'imprimerie*, et sur l'autre en *cursive* (l'idéal est d'avoir une carte suffisamment étroite pour que l'écriture soit « attachée » lorsque deux lettres sont mises côte à côte).

Faire une *différenciation de couleur* entre les voyelles orales et les consonnes.

valise   VALISE

Prévoir, en plus des lettres mobiles proprement dites, des élastiques en grand nombre ainsi qu'un sachet marqué au nom de l'apprenant et une boîte du type boîte à chaussures pour les ranger.

b. Objectif des lettres mobiles

Permettre à l'apprenant de **s'approprier la combinatoire en la construisant** comme un Lego. Cette manipulation permet à l'apprenant de construire des hypothèses, de les faire valider par le formateur et, le cas échéant, de s'auto-corriger.
Cela a l'avantage de ne pas figer une erreur initiale dans une trace écrite.
Par ailleurs, l'utilisation des lettres mobiles permet au débutant d'écrire une syllabe sous la dictée sans que s'ajoute la difficulté de graphier.

c. Déroulement du travail de lecture avec les lettres mobiles

Le formateur distribue à chaque apprenant, au fur et à mesure de leur apprentissage, les lettres nécessaires à la notion étudiée.

Dès qu'il reçoit son sachet, *l'apprenant dispose les cartes en haut de sa table* :
les voyelles d'un côté, les consonnes de l'autre, dans l'ordre alphabétique,
les différents exemplaires d'une même lettre étant disposés en pile les uns sur les autres.

Le formateur dicte un son / une syllabe / un mot / une phrase,
insiste sur le son étudié, répète.
L'apprenant écrit ce qu'il entend, c'est-à-dire ce qu'il interprète ou ce qu'il reconnaît.
Il *s'auto-corrige*, si besoin est, *lorsque le formateur lit à voix haute ce qui a été écrit avec les lettres mobiles.*
Ainsi, de manière active, l'apprenant s'approprie l'enchaînement des graphèmes.

Quand l'activité avec les lettres mobiles est terminée, l'apprenant range les cartes, bien classées, lettre par lettre, les voyelles avec les voyelles, les consonnes avec les consonnes, et les remet dans son sachet. Ainsi il pourra les sortir et les ranger sur sa table à la séance suivante, avec méthode et rapidité.
Enfin le formateur ramasse tous les sachets.

6. Lecture au tableau

Le formateur écrit au tableau des syllabes puis des mots, puis des phrases.
Il utilise deux couleurs de craies (celles des lettres mobiles).
C'est de la lecture dite « verticale » : un apprenant lit à voix haute ce qui est écrit au tableau, pendant que les autres suivent ce qu'il fait.
Le formateur relit cette syllabe ou ce mot à voix haute et ensuite toute la classe répète.
De tels exercices contribuent à développer l'habileté et la fluidité du déchiffrage.

7. Lecture sur le manuel

Lecture silencieuse de la première ligne, *puis lecture à voix haute* (le formateur insiste sur les lettres muettes et sur les liaisons quand il reprend ce que l'apprenant a lu).

8. Écriture sur le cahier

Le formateur trace la lettre étudiée en insistant sur **le sens du tracé (*ductus*) de la lettre.**

Nous rappelons *l'importance des exercices préliminaires (tracé des lettres dans l'espace)* qui permettent de réaliser tout de suite une lettre au tracé correct et qui permettent également d'acquérir par la suite de la vitesse.

Acquérir d'emblée une écriture standard est un objectif possible.

Une **bonne tenue du crayon** est nécessaire et doit faire l'objet d'une vérification constante par le formateur.

L'apprenant a un cahier d'entraînement pendant les cours : nous suggérons un cahier avec des lignes seyes interligne 3. Le formateur propose des « modèles », en fonction de son groupe.

Le crayon à papier est recommandé au début de l'apprentissage, mais il est préférable d'éviter l'usage de la gomme, et de faire recommencer tout ce qui n'est pas bien tracé.

9. Exercices d'approfondissement

Les exercices d'application correspondent à la leçon d'approfondissement.

10. Exercices de graphie et de copie à la maison

Une fois rentré chez lui, l'apprenant écrit sur la partie *écriture* du manuel. C'est un travail d'application qui sera vérifié au début de la séance suivante.

II - Leçon d'approfondissement : exercices d'entraînement

Les exercices ont été conçus pour être **des exercices-types** de manière à en atténuer l'aspect souvent artificiel ou décalé par rapport aux apprenants.

Ainsi chaque formateur peut facilement **les transposer en fonction de sa pédagogie et de son groupe**, de manière à revenir sur les difficultés rencontrées, jusqu'à ce qu'il se crée des automatismes.

Exercices d'écriture

Exercice 1
- **Transcription** de lettres majuscules d'imprimerie en lettres cursives
  SEPTEMBRE   *septembre*
- Transcription de lettres minuscules d'imprimerie en lettres cursives
  lundi   *lundi*
- Transcription de minuscules cursives en majuscules d'imprimerie
  la banque   LA BANQUE

Exercice 2 : entraînement à bien tracer des **enchaînements difficiles** de lettres (en grand format) *vr br an on*

Exercice 3 : entraînement à copier un texte de 5 lignes (le but est de **ne pas oublier de syllabes ni de mots**).

Conseil : faire barrer au crayon à papier sur le texte initial chaque mot recopié afin que l'apprenant n'omette pas de mot involontairement.

Exercices de discrimination

a. Discrimination auditive

Exercice 1 : le formateur dit un mot et demande à l'apprenant si **le son étudié** se trouve **au début / au milieu / à la fin du mot**

        c**i**néma   val**i**se   vendred**i**

Exercice 2 : lorsque le formateur veut **discriminer entre deux sons souvent confondus** par l'apprenant (*s/ch p/b é/è o/ou u/i* etc.), il écrit au tableau la paire discriminante (*s/ch*) et dicte une suite de mots. Sur son ardoise l'apprenant écrit *s* ou *ch*.

Exercice 3 : à un stade plus avancé de la lecture, pour éviter que l'apprenant n'oublie des syllabes dans un mot lors d'une dictée, il est bon de **faire scander** par un battement de mains la suite des syllabes (3 syllabes, 3 battements de mains).

Lorsqu'on fait une dictée, il vaut mieux **prononcer même faiblement le « e » caduc** et faire scander ce « e » caduc prononcé (ex : *sa/me/di*).

Exercice 4 : dictée de syllabes et de mots

La dictée ne doit pas sanctionner négativement l'apprenant car il est évident que l'orthographe est un but ultérieur et que la compétence orthographique s'acquiert plus tard, au fil des lectures.

La dictée est faite pour aider à construire la correspondance phonie/graphie. Si le mot « maison » est écrit par l'apprenant *mèzon*, le formateur lui indique qu'il a bien transcrit les sons, mais que l'habitude est d'écrire autrement le son (è) dans le mot « maison » et il lui demande de quelle autre manière on pourrait encore écrire ce son.

b. Discrimination visuelle

Exercice 1 : dans un petit texte de 5 lignes, l'apprenant doit **entourer tous les oi**, etc.

Exercice 2 : pour que l'apprenant perçoive **l'organisation graphique d'un texte** (espaces, ponctuation , etc.) le formateur peut préparer un texte où il faudra repérer des différences d'espace entre les mots, des irrégularités d'interligne, des majuscules oubliées en début de phrase ou pour un nom propre, l'absence de point avant majuscule, des changements de police de caractères...

Exercices de compréhension

Exercice 1 : séparer les mots par un trait pour **reconstituer la phrase.**
ilabuducafé..........Il/a/bu/du/café........ (Il a bu du café.)

Exercice 2 : exercice, à la fois de compréhension et de discrimination visuelle.

L'apprenant doit **compléter par une voyelle** à choisir dans une paire à discriminer : *ou/oi*

Il __vre la b__te de m__ch__rs.

Exercice 3 : sélectionner le mot qui convient pour compléter une phrase.

on   nom   Afrique
Quel est votre............................?
Il est né en............................. du Nord.
 ... a pris du retard.

Exercice 4 : répondre à quelques questions à propos d'un petit texte de quatre-cinq lignes.

Première étape : l'apprenant répond par OUI / NON.
Deuxième étape : l'apprenant écrit la réponse par une phrase complète.

Exercices d'orthographe

Exercice 1 : dictée de mots clés afin que ces mots-clés soient parfaitement connus et puissent servir de référence orthographique (par exemple : citron comme dans cinéma).

Exercice 2 : dictée de mots courants étudiés dans la leçon.

Exercices de grammaire

Exercice 1 : compléter une liste de noms par *le* ou *la* (acquisition du **masculin / féminin**).

Exercice 2 : donner l'automatisme du « s » **du pluriel** en proposant une liste de noms au singulier à mettre au pluriel.

Exercice 3 : pour **différencier *les / des***, faire des exercices de correspondance.

un chat ⟶ *des chats*
le stylo ⟶ *les stylos*

Exercice 4 : le pluriel des verbes

(Acquisition de la 3ᵉ personne du singulier et de la 3ᵉ personne du pluriel des verbes du premier groupe).
Paul mang .... (mange)
Marie et Paul mang ...... (mangent)

Exercice 5 : entraînement à bien **distinguer le pluriel en « s » des noms** et le **pluriel en –ent des verbes à la troisième personne.**

*les marche**s** / Pierre et Paul march**ent***

Exercice 6 : exercice sur **la négation**

Bien qu'à l'oral la négation soit mise spontanément à sa place, à l'écrit elle est généralement mise n'importe où dans la phrase et les deux termes *ne...pas* rassemblés en seul bloc !

C'est pourquoi nous proposons deux étapes pour cet apprentissage.

Première étape : la négation à l'oral.

Il s'agit de mettre par écrit ce que l'apprenant dit et entend dans la vie quotidienne :

« Tu manges ou tu manges pas ? »

« Tu viens ou tu viens pas ? »

Exercice 1 :   Il mange .... (il mange *pas*)

Il veut................................. (il veut *pas*)

Deuxième étape : la négation à l'écrit.

Expliquer que la négation à l'écrit est en deux parties qui entourent le verbe.

Nous recommandons de faire encadrer le verbe puis de faire placer **ne** et **pas** de chaque côté.

Exercice 2 :   Il mange .... (il **ne** mange **pas**)

Il veut................................. (il **ne** veut **pas**).

Majuscules cursives

Achevé d'imprimer en France en janvier 2019 par Sepec
Numéro d'impression : 06801181110 - Dépôt légal : février 2017
Numéro de projet : 10252148

IMPRIM'VERT®